KB096410

SIM 쉼

https://brunch.co.kr/@sunshine

결코 어리지도, 결코 나이 들었다고 생각하지 않는다. 전혀 새롭지도, 그렇다고
익숙하지도 않다. 오늘, 후회없이 살고 싶다.
이메일 | bss0124@hotmail.com

발 행 | 2024-02-01

저 자 | SIM 쉼

펴낸이 | 한건희

펴낸곳 | 주식회사 부크크

출판사등록 | 2014.07.15(제 2014-16 호)

주 소 | 서울 금천구 가산디지털 1 로 119, A 동 305 호

전 화 | 1670 - 8316

이메일 | info@bookk.co.kr

ISBN | 979-11-410-6994-0

본 책은 브런치 POD 출판물입니다.

https://brunch.co.kr

www.bookk.co.kr

"어릴 적

부모님께 내민 편지에

설레시던 모습이 생각이 난다.

편지를 읽으며

미소 짓던 그 모습이

기억에 남는다.

그 마음을 느끼고 싶다.

이 편지를 읽는 사람도

그 마음을 느꼈으면 좋겠다."

자녀로부터 온 편지

SIM 쉼 지음

태아의 자녀가

유아의 자녀가

초등학생 자녀가

중학생 자녀가

고등학생 자녀가

대학생 자녀가

사회 초년생 자녀가

사회 경력자 자녀가

결혼하는 자녀가

자녀를 둔 자녀가

태아의 자녀가

1

쿵.쿵.쿵.

유아의 자녀가

1

엄마, 아빠

사랑해요.

장난감 사줘서

고마워요.

2

엄마, 아빠

나 잘했죠?

초등학생 자녀가

1

엄마, 아빠

나를 낳아줘서 감사해요.

엄마, 아빠 랑 함께 라서 행복해요.

엄마가 해주는 음식이

제일 맛있어요.

또 해주세요.

아빠, 나랑 놀아주세요.

나랑 축구도 하고

자전거도 가르쳐 주세요.

2

엄마 울지 마요.

엄마가 울면 나도 슬퍼요.

아빠 울지 마요.

내가 잘할 게요.

엄마, 아빠

화내지 마세요.

엄마, 아빠가 계속 화내면

내 마음이 아파요.

3

나는 숙제도 하기 싫고

학원도 가기 싫고

친구들과 놀고만 싶은데

엄마, 아빠는

공부도 잘해야 한다

미술도 해야 한다

피아노도 해야 한다

태권도도 배워야 한다 해요.

나 열심히 공부할게요.

조금만 더 놀게 해 주면 안 돼요?

엄마, 아빠 사랑해요.

중학생 자녀가

1

열심히 공부하려고 하는데

잘 안될 때가 있어요.

영어도 어렵고 수학도 어렵고

시험은 또 왜 이렇게 긴장되고 힘든 지

점수가 잘 안 나와 속상할 때가 많아요.

그래도 열심히 할게요.

더 열심히 공부해서

엄마, 아빠를 기쁘게 해 드리는 내가 될게요.

2

친구들과 같이 수다도 떨고

맛있는 것도 먹고

밤새 같이 놀면서

시간 보내고 싶은데

엄마, 아빠는 자꾸 조금만 놀라고 하니까

짜증이 났어요.

소리 지르고 대들어서 미안해요.

3

얼마 전

이성친구의 전화를 투명하게 받았던

엄마 때문에 속상했어요.

너무 무뚝뚝하게 대하지만 마세요, 아빠.

공부해야 하는데

이성교제만 하고 있는 거 아닐까

걱정하는 거 아는데

공부도 열심히 하려고 하니까

걱정만 하지 마세요.

고등학생 자녀가

1

요즘 너무 힘들어요.

공부하는 게

너무 어렵고

시험점수가 안 나와서

자꾸 걱정이 돼요.

과외를 해봐도

성적이 잘 안 올라

속상해요.

옆에 있는 친구의

성적이 점점 오를 때마다

나만 안 좋게 될까 봐

불안할 때도 있어요.

엄마, 아빠도

내 성적에 대해서

걱정이 많은 걸 잘 알아요.

열심히 하려고 하니까

조금만 기다려 주세요.

2

요즘 진로 때문에

고민이 많아요.

선생님과 상담해도

잘 모를 때도 있고

내가 생각하는 방향이 맞나

고민이 되기도 해요.

엄마, 아빠가 해준 얘기들도

다 새겨듣고

잘 생각해 보며 고민하고 있어요.

내가 엄마, 아빠보다 더 잘되길 바라는

마음과 바람이 있다는 거

잘 알고 있어요.

나를 위해 노력하고 신경 써주는

엄마, 아빠가 있다는 거

표현하지 못하지만 감사하게 생각해요.

열심히 준비해서

부끄럽지 않은 자녀가 될게요.

대학생 자녀가

1

공부했던 것만큼 좋은 학과와 좋은 학교에

가지 못한 것 같아 아쉽기도 해요.

그래도 최선을 다해 열심히 잘 준비해서

좋은 직장을 잡을 수 있는

실력 있는 사람이 되도록 노력할게요.

교수님들이 내주는 과제며 수업도

열심히 들으려고 하고 있어요.

나중에 진로를 생각해서

자격증도 취득하고

기술도 익히고

필요한 지식과 경험도 쌓고 있으니

너무 걱정하지 마세요.

2

요즘 재밌어요.

다양한 지역에서 온

다양한 성격의

새로운 친구들을 사귀며

여행도 가고 같이 어울려 놀기도 하고

술도 먹고 다양한 경험들도 하면서 보내는

이 시간이 좋습니다.

더 즐겁게, 더 행복하게

하루하루를 보내고 싶어요.

엄마, 아빠가 열심히 응원해 주시는 것에 힘입어

더 발전하고

더 성장하려 노력도 하고 있어요.

제 스스로의 힘으로 열심히 벌고

열심히 재능과 실력을 쌓으며 나아갈 테니

지켜봐 주세요.

사랑합니다.

사회 초년생 자녀가

1

첫 직장을 잡고 나서야

엄마, 아빠가 얼마나 힘든 시간을 보내셨는지

알게 되네요.

취업준비 열심히 해서 직장에 들어갔는데

생각했던 것보다 더 어렵고 힘들다는 걸 느껴요.

내 뒷바라지하느라 고생하셨을 엄마, 아빠가

이제야 좀 이해가 되네요.

직장 생활에 필요한

기술과 실력을 키우는 것도 만만치 않고

상사의 눈치를 보는 것도 어렵고

선배들 비위 맞추는 것도 쉽지만은 않네요.

혹시 실수를 하지 않을까

긴장하는 날이 많고

꾸중이나 질책을 들은 날에는

자꾸만 위축이 되어 어깨가 무거워져요.

그런데 월급은 또 왜 이렇게 적은 지

첫 월급 때, **좋은 것 사드리고**

더 많은 용돈 드리고 싶었는데

그러지 못해서 죄송해요.

더 실력을 많이 쌓아서

더 좋은 것 해 드릴 수 있는 제가 될게요.

2

오늘도

실수해도 죄송하다고 하면서

잘 넘어갔어요.

선배님들께 깍듯이 하면서

잘해 드리려 노력하고 있어요.

상사분이 시키는 일은

무조건 열심히 하려고 노력하고 있으니

너무 걱정하지 마세요.

아직은 좀 부족해도

그래도 저 잘 해내고 있으니

제 걱정하지 마시고

엄마, 아빠도 잘 보내셨으면 좋겠어요.

열심히 하려고 하다 보니

끼니를 걸렀네요.

밥 잘 챙겨 먹을게요.

자랑스러운 아들, 딸이 되기 위해

열심히 노력할 테니

조금만 더 기다려 주세요.

사랑합니다.

사회 경력자 자녀가

1

저도 처음에는 여기서 잘 정착해

제 실력을 발휘할 수 있을까 고민이 많았는데

이제 승진도 하고 능력도 발휘해

출장도 다니고

회사에서 보내주는 연수도 가고

저 잘하고 있어요.

또 능력과 실력을 발휘해서

더 좋은 직장에 이직도 했고

제가 더 잘할 수 있는 일, 제 꿈을 위해서

유학도 다녀오고

새로운 사업도 하면서

좋은 사람들과 좋은 인맥들 만들며

사회생활 잘하고 있으니 너무 걱정 마세요.

이제 엄마, 아빠도 하시고 싶은 거 하세요.

제가 큰 도움이 되지는 못하지만

작게나마 엄마, 아빠를 위해서 보탬이 될게요.

2

좋은 사람도 만나며

좋은 날 데이트도 하고

이제는 조금 여유도 생겨서

좋은 데 가서 좋은 거 먹으면서

나를 위해서 쓰며

인생을 즐기고 있어요.

그래도 앞으로의 미래를 생각해서

능력을 더 발휘하려

노력도 하고

아직도 많이 배우고 익히고

열심히 하고 있으니

제 걱정은 이제 하지 마세요.

오늘도 열심히 살고 있어요.

자주자주 전화하도록 노력할게요.

사랑합니다.

결혼하는 자녀가

1

나름 열심히 준비하는데도

결혼준비 하는 게 쉽지만은 않네요.

나 좋다고

내가 좋아하는 사람하고

이제 결혼해서

잘 살고 싶은 마음 뿐인데

벌써부터 걱정도 되고 덜컥 겁도 나요.

내가 이 사람과 행복한 삶을 살 수 있을지

앞으로 내가 가정을 잘 꾸려

남부끄럽지 않은 아내, 남편

그리고 좋은 엄마, 아빠가 될 수 있을지

걱정도 돼요.

지금 이 순간의 감정에 치우쳐

잘못된 선택을 하는 건 아닌지

내가 생각하는 결혼과 내가 원하던 삶을

살 수 있을지 의문도 들어요.

나를 위해서 이것저것 챙기면서

더 잘해 주지 못해 미안해 하는

엄마, 아빠를 보는 것도 마음이 아프고

그동안 잘해드리지 못해

죄송한 마음뿐이에요.

그동안 저 키워 주시고

저 위해 수고해 주셔서

감사합니다.

잘 살도록 노력할게요.

2

저 때문에 너무 섭섭해하지도 마시고

저 때문에 울지도 마세요.

앞으로 더 잘 사는 모습만 보여 줄게요.

이제 나 없으면

아빠가 말이 더 없고 적적해하실 까 걱정이고

나랑 그렇게 수다 **떨며 스트레스 풀던 엄마**도

말상대가 없을까 걱정이에요.

아빠, 이제 술은 조금만 드세요.

엄마도 엄마 위해서 맛있는 것도 먹고

이제 두 분의 인생을 잘 즐기셨으면 좋겠어요.

사랑합니다.

엄마, 아빠 고마워요.

자녀를 가진 자녀가

1

어머니, 아버지

처음 이 말을 할 때 너무나 어색해서

많이 고민됐어요.

그런데 이제 아이도 있는데 어린애처럼

"엄마", "아빠" 하는 건 아닌 거 같아

시작한 이 말이 이젠 익숙하네요.

아이를 낳고, 아이를 키우면서

나를 키우며 많이 힘들고 섭섭했을

아버지, 어머니의 마음이 더 와닿네요.

어떻게 이 모든 아픔과 힘듦을 다 감당하셨는지

그것을 생각하면 마음이 짠합니다.

그래도 아이가 점점 자라면서

재롱도 부리고

엄마, 아빠를 위하는 마음을 보일 때마다

"아, 우리 엄마, 아빠도 이런 모습 때문에

그래도 나 키우며 살 맛이 나셨겠다." 라고

생각도 드네요.

그래서,

그때 더 잘해드리고

더 잘하는 아들, 딸이었다면 좋았겠 다는 마음이

요즘 더 많이 들어요.

2

용돈도 더 많이 드리고

더 능력도 있고

행복하게 더 잘 사는 모습만 보여드리고 싶은데

그러지 못해서 죄송해요.

어머니, 아버지

그래도 이제 건강은 꼭 챙기세요.

건강검진도 꼭 하시고

밥 잘 챙겨 드시고

운동도 하시면서

이제는 건강하게 오래오래 사세요.

아직도 부족한 자식이지만

어머니, 아버지가 오래오래 **함께해서**

손자, 손녀 재롱도 더 많이 보시고

제가 더 잘 살고, 더 **행복한 모습**

많이 많이 보여드리고 싶어요.

오래오래 같이 행복했으면 좋겠어요.

자주 연락 드리지 못해 죄송해요.

이제 안부라도 자주자주 드리도록 노력할게요.

사랑합니다.

　　　　　━━━ 🔖 ━━━

　　　살다 보면

　　　자녀의 마음을

　　　모를 때가 있다.

　　　　가끔

　　　　힘들 때

　　　속상할 때

　　　그리울 때

　　　　아니면

　　　보통의 어느 날에

자녀의 마음을 들여다보는

마음의 편지가 되고 싶다.

글을 쓰며 마음으로 쉬고 싶다

나만의 색깔로 심지 있는 글을 쓰고 싶다.

함께 마음으로 공감하는 글을 쓰고 싶다.

-작가 Sim 쉽-